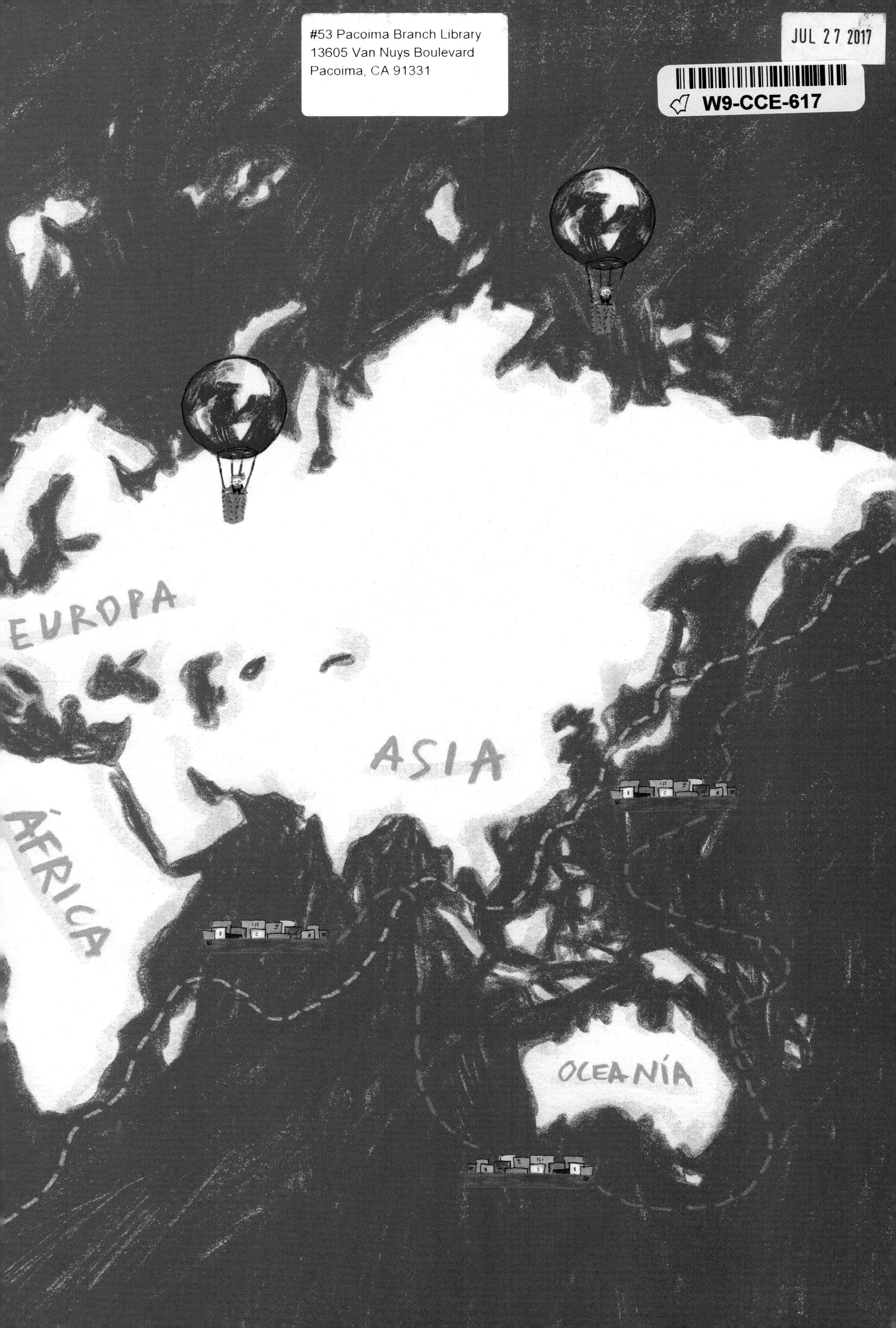
EUROPA
ASIA
ÁFRICA
OCEANÍA

Puede consultar nuestro catálogo en www.picarona.net

Una escuela grande como el mundo
Texto: *Gianni Rodari*
Ilustraciones: *Allegra Agliardi*

1.ª edición: noviembre de 2016

Título original: *Una scuola grande come il mondo*

Traducción: *Lorenzo Fasanini*
Maquetación: *Isabel Estrada*
Corrección: *M.ª Ángeles Olivera*

© 2013 Edizioni EL, San Dorligo della Valle (Trieste)
(Reservados todos los derechos)
Este libro ha sido negociado a través de Ute Körner Lit. Ag., España.
www.uklitag.com

© 2016, Ediciones Obelisco, S. L.
www.edicionesobelisco.com
(Reservados los derechos para la lengua española)

Edita: Picarona, sello infantil de Ediciones Obelisco, S. L.
Collita, 23-25. Pol. Ind. Molí de La Bastida
08191 Rubí - Barcelona
Tel. 93 309 85 25 - Fax 93 309 85 23
E-mail: picarona@picarona.net

ISBN: 978-84-16648-86-3
Depósito Legal: B-16.196-2016

Printed in Spain

Impreso en España por ANMAN, Gràfiques del Vallès, S. L.
C/ Llobateres, 16-18, Tallers 7 - Nau 10. Polígono Industrial Santiga.
08210 - Barberà del Vallès (Barcelona)

Gianni Rodari

UNA ESCUELA TAN GRANDE COMO EL MUNDO

Ilustraciones: **Allegra Agliardi**

Hay una escuela que es tan grande como el mundo.

Allí enseñan maestros, profesores,
abogados, arquitectos,

televisores, periódicos,
distintas señales de tráfico,

el sol,
los temporales,
las estrellas.

Hay asignaturas fáciles

y asignaturas difíciles,

feas,

bonitas

y regulares.

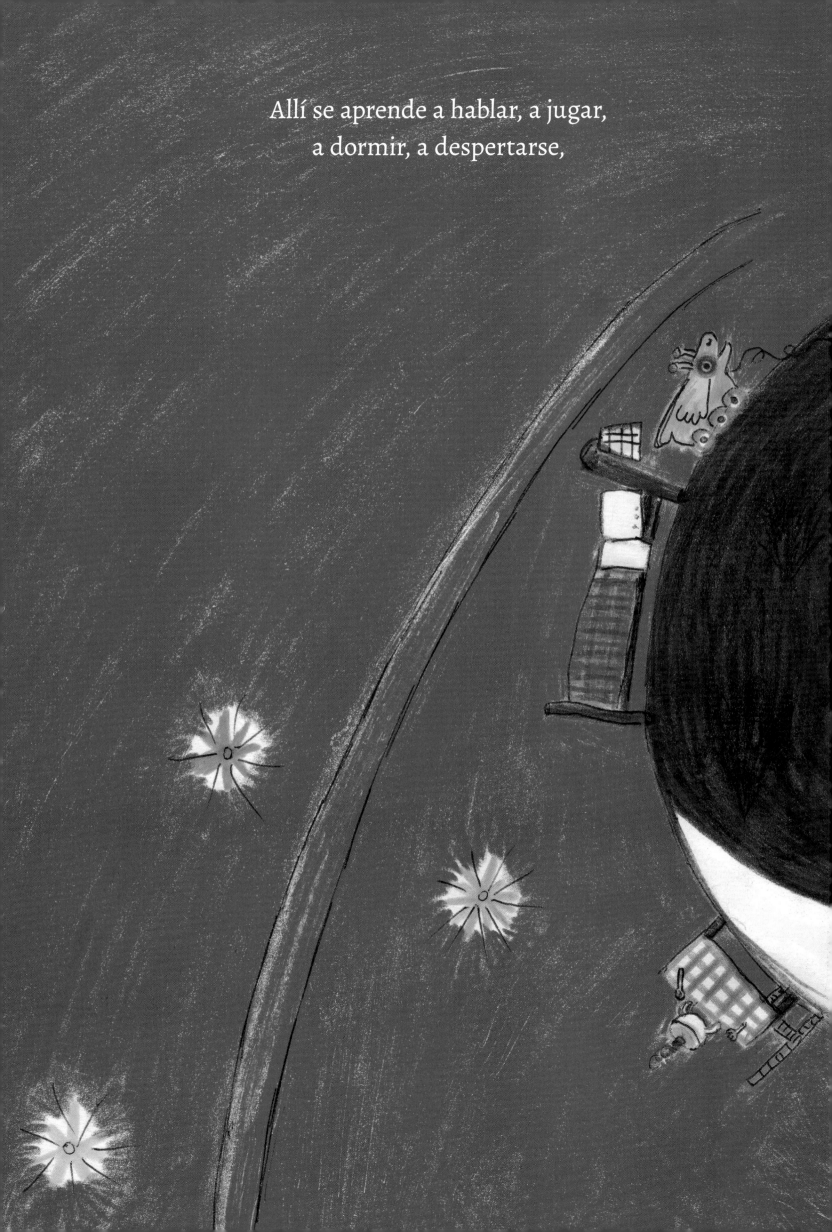

Allí se aprende a hablar, a jugar,
a dormir, a despertarse,

a quererse y hasta
a enfadarse.

Cada momento te invita a una prueba,
pero no hay quien repita:

nadie puede detenerse a los diez años,
a los quince, a los veinte,

y descansar un poco.

Nunca se deja
de aprender,

y lo que no se sabe todavía
siempre es más importante
de lo que ya se conocía.

Esta escuela es el mundo entero
con su tamaño desmesurado:
abre los ojos y tú también
estarás aprobado.